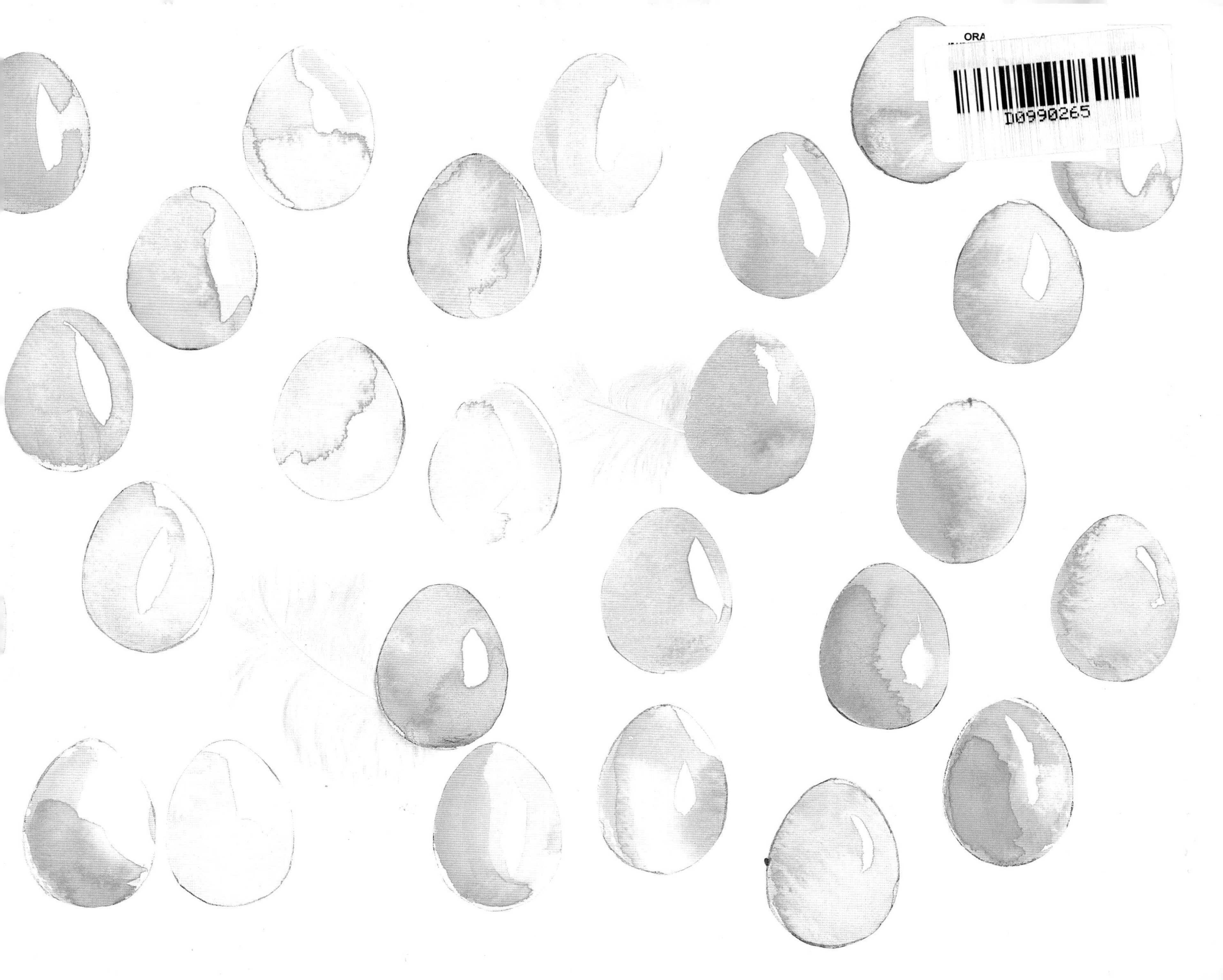

Pour Viviane, la plus coquette des cocottes
– M.B.

Pour mon ami Théo,
puisse la vie nous garder les uns auprès des autres
et nous permettre de fêter encore souvent notre amitié à l'Echanson...
– C. N.-V.

11, rue de Sèvres, 75006 Paris
Loi n° 49.956 du 16 juillet 1949 sur les publications
destinées à la jeunesse : mars 2011
Dépôt légal : mars 2011
ISBN 978-2-877-67699-1
Imprimé en Italie

Diffusion l'école des loisirs

www.editions-kaleidoscope.com

GEORGETTE LA VEDETTE

Texte de **CHRISTINE NAUMANN-VILLEMIN**
Illustrations de **MARIANNE BARCILON**

kaléidoscope

L'amicale de la volaille de Troupette-sur-Noyeux était très active.
Ces dames se réunissaient tous les jeudis pour picorer du maïs et tricoter de la layette.
“Oh, attention, ma chère, vous écrasez ma bague ! Je l'ai achetée à Paris,
elle m'a coûté la peau de la crête ! C'est la bague la plus chère du monde !”

“Pardon, mademoiselle ! Ça ne vous dérange pas si je m’allonge un peu ?
J’ai volé sur une distance de 5360 kilomètres, à une moyenne de 34 km/heure
par grand vent et sans escale, je suis un peu fatiguée…”

“Oh ! En effet, vous avez une mine de dinde bouillie… Moi, par contre, je suis en pleine forme, malgré les 13 kilos de vers de terre premier choix que j’ai récoltés cette nuit…”
“Eh bien, moi, figurez-vous que, cette nuit, j’ai pondu 56 œufs !”

À côté de toutes ces dames,
Georgette se sentait un peu en reste.
Alors, quand madame Glougloute,
la dindonne, lui demanda :
“Et vous, ma chère, quoi de neuf ?”
elle ne sut pas ce qui lui passa par la tête,
elle s’écria :
“Neuf ? Eh bien… un œuf carré, ce matin,
j’ai pondu un œuf carré !”
Un œuf carré !
Georgette avait pondu un œuf carré !
La nouvelle eut tôt fait de circuler
dans toutes les basses-cours alentour.

Georgette en était devenue la vedette.
On venait de très loin pour la questionner, pour l'interroger sur son expérience, pour s'enquérir de sa santé, pour recueillir ses impressions :
"Ça ne fait pas trop mal, de pondre un œuf pareil ?"
"Qui est l'heureux papa ?"
"C'est de famille ?"
"Comme vous devez être fière !"

Georgette championne des championnes

Georgette se rengorgeait, répondait, cabotinait, se laissait prendre en photo, minaudait, se laissait tresser les plumes, se vernissait les ergots… Oui, quelle vedette, cette Georgette !

GEORGETTE
TU ES
CARRÉMENT
GÉNIALE !
GEORGETTE
T'ES TROP
CHOUETTE

Jusqu'au moment où Cunégonde, la vieille oie, demanda :
"Et on peut le voir, cet œuf merveilleux ?"
"Bien… bien sûr", bafouilla Georgette.

Ralala ! Georgette était bien embêtée. Plus qu'embêtée !
Tout emberlificotée qu'elle était, complètement chamboulée…
"Eh bien, alors, rendez-vous demain matin chez vous, ma chère", lança l'oie.
"Ouille ouille ouille ! Que vais-je faire ?" se lamenta Georgette.
Parce que son œuf à elle, il était tout ce qu'il y avait de plus ordinaire.
Un œuf normal, terriblement banal, bêtement ovale.

Elle essaya plusieurs choses.

Mais Georgette dut se rendre à l’évidence :
son mensonge allait être découvert, et pas plus tard qu’au petit matin…

Dès le chant du coq, les volatiles s'étaient groupés devant le poulailler de Georgette, armés d'appareils photo, de caméras, les petits devant, les grands derrière. Georgette, la mort dans l'âme et ses valises prêtes, ouvrit la porte.

“Oh ! ! ! ! ! ! ! ! ! ! !”

“Oh, comme il est mignon !”
“Oh, le beau bébé !”
“Oh, qu’il est costaud !”
“Et cui cui cui cui le petit !”
Madame Paonne vint féliciter l’heureuse maman :
“Ah ! il est drôlement réussi, votre bébé !”
“Les œufs carrés, ça fait vraiment de beaux bébés !”
s’extasia madame Glougloute.
“Ah ! Il a une bonne tête bien carrée,
et des épaules de déménageur de poulailler”, constata le coq Rico.

“Pfff, maugréa l’oie Cunégonde, n’empêche, on ne l’a pas vu, son œuf…”
“Oh, ne soyez pas mauvais bec, la coupa la pigeonne,
nous aurions dû arriver un peu plus tôt, c’est tout…”
“Bon, c’est pas tout ça,
soupira madame Pinto, la pintade,
je dois aller essayer
mes nouveaux ergots,
ils sont en blé massif.”

“Et moi, je rejoins mon amoureux, un paon magnifique,
président des Tas-de-Fumiers-Unis.”
“Quant à moi, c’est le moment de retourner
faire du ski sur mare avec mon canard.
Et toi Georgette ?”

“Moi ? Je… J’ai… Eh bien, je vais faire un gros câlin à mon poussin.”